古代部分

六十六

王蒙

山水画

榮寶齋畫譜

荣宝斋出版社
北京

前言

传统的中国绘画以其独特的艺术语言，记录了中华民族每一个历史时代的面貌，反映和凝聚了我们民族的审美意识和传统思想。她以东方艺术特色立于世界艺林，汇为全世界人文宝库的财富。我们当代人得以继承享用这样一笔珍贵的文化遗产是有幸并足以引为自豪的。面对这样一笔巨大的财富，把其中优秀的部分继承下来『古为今用』并加以弘扬光大，这同时也是当代人的责任。继承什么，怎样弘扬传统绘画遗产，这是一个不容选择的命题。回答这个命题的艺术实践是具体的，其意义是现实和延伸的。在具体的绘画艺术实践中，我们不必就这个题目为个别的绘画教条所规范楷模，每一个画家都有自己对传统的认识和理解，都有着自己的感情并各取所需。继承和弘扬优秀文化遗产的理论和愿望都体现在当代人所创造的绘画艺术之中。

中国绘画有其发展的过程和依存的条件，有其不断成熟完善和自律的范畴，明显地区别于其它画种。她以线为主，骨法用笔，重审美程式造型；对物象固有色彩主观理想的表现；客观世界和主观心理合成的『高远、深远、平远』『散点透视』的营构方式；『师造化』『以形写神，神形兼备』的现实主义艺术理想；工笔、写意的审美分野；绘画与文学联姻，诗书画印一体对意境的再造；直写『胸中逸气』的文人笔墨；各持标准的门户宗派，多民族的艺术风范与意趣；以及几千年占统治地位的封建士大夫思想文化的大背景等等，从而构成了传统中国画的形式和内容特征。一个具有数千年文明传统的民族所发展和创造的文化，在创造新时代的绘画艺术中，不可能割断自己的血脉，摒弃曾经千锤百炼、人民喜闻乐见的美的形式和传统精神，这些特质都有待我们今天继续研究和借鉴。『数典忘祖』『抱残守缺』或『陈陈相因』都不益于繁荣绘画艺术和建设改革开放时代的新文明。

对传统文化的热爱和了解，是继承和弘扬优秀文化遗产的前提。热爱和了解传统绘画艺术的人民大众是传统绘画艺术生生不息的土壤。在中国绘画发展的历史上，没有任何一个时代像今天这样拥有众多的画家和爱好者。大家以自己热爱的传统绘画陶冶情怀，讴歌时代，创造美以装点我们多姿多彩的生活。为此服务并做出努力是出版工作者的责任。就传统中国绘画的研习方法而言，历代无论院体或民间，师授或是私淑，都十分重视临摹。即便是今天，积极地去临摹习仿古代优秀作品，仍不失为由表及里了解和掌握中国画技法特质、体悟中国画精神品格的有效方法之一，通俗的范本也因此仍然显得重要。我们将继承弘扬民族文化的社会命题落在出版社工作实处，继《荣宝斋画谱·现代部分》百余册出版之后，现又开始编辑出版《荣宝斋画谱·古代部分》大型普及类丛书。

从书以中国古代绘画史为基本线索，围绕传统绘画的内容题材和形式体裁两方面分别立册；以编辑典型画家的风格化作品和名作为主，注重技法特征、艺术格调和范本效果；从宏观把握丛书整体体例结构并丰富其内容；对当代人喜闻乐见的画家、题材和具有审美生命力的形式体裁增加立册数量；由具有丰富教学经验的画家、美术理论家撰文做必要的导读；按范本宗旨酌情附相应的文字内容，以缩小读者与范本的距离。有关古代作品的传绪断代、真伪优劣，这是编辑这部丛书难免遇到的突出的学术问题，我们基于范本目的，一般沿用著录成说。在此谨就丛书的编辑工作简要说明，并衷心希望继续得到广大读者的关心和帮助。我们希望为更多的人创造条件去了解传统中国绘画艺术，使《荣宝斋画谱·古代部分》再能成为滋养民族绘画艺术的土壤，为光大传统精神，创造人民需要且具有时代美感的中国画起到她的作用。

荣宝斋出版社　一九九五年十月

王蒙简介

王蒙，元朝画家。字叔明，号黄鹤山樵、香光居士，湖州（今浙江吴兴）人。能诗文，工书法。尤擅画山水，得外祖赵孟頫法，以董源、巨然为宗而自成面目。写景稠密，布局多重山复水，善用解索皴和渴墨苔点，表现林峦郁茂苍茫的气氛。山水之外，兼能人物。所作作品、对后世山水绘画影响很大。

目录

王蒙山水画

许可　郑博文

一二七九年，忽必烈灭南宋，建立起了由蒙古人统一中华大地的元朝。元朝由于是新当政民族统治，实行民族歧视的政策，将不同民族列为四等。而当时的知识阶层的地位也堕落到了仅高于乞丐的第九等，并且取消了科举制度，一代士人失去了进身之阶。虽然在元仁宗时期又重新实行过科举制，然而录取名额极少，又有蒙古人、色目人、汉人、南人之等级分别，汉人、南人的士人又特别多，名额却特别少，几近于无。在这样的社会背景下，元代的士人大都彷徨苦闷，抱着回避现实的处世态度，向往一种清净的隐居生活，在野的士人们不问政治，或入道参禅，或隐逸于江湖，或游于山林，或混迹于勾栏瓦舍之中，从事杂剧创作，或从事山水画的写意，尤其后者，更为雅事。所以，元代的文人几乎都会作画，同时也会作诗，赋文，所以我们在元画中会常见一题再题的作品，这都和元代山水画家多出于士人有关。

这时候的中国山水画应该怎么画，也是当时从事绘画的士人都思考的一个问题。赵孟頫作为元代书坛的领军人物，在他的书法、绘画，以及题跋中关于书法理论的阐述，可以看出他批评『近世』，倡导『复古』，从而确立了元代书法艺术思维的审美标准。这个标准不仅明确体现在他的书法艺术审美价值取向上，而且也广泛渗透于诗文、绘画、篆刻等领域中，使得当时的绘画之风也倡导『复古』一路，我们对其提倡的『复古』画风进行更深层次的分析，就不难发现，这个口号的提出有极其特殊而复杂的人文背景。元朝的诞生，政权的更迭，再加上在这种特殊环境下赵孟頫自身的个性心理特征和特殊的人生经历，最终导致了『复古』之炬越燃越烈。在这个时代背景下，诞生了著名的『元四家』——黄公望、吴镇、倪瓒、王蒙。而王蒙以其最为丰富的技法，对明清乃至今日的画坛都产生了极大的影响。

王蒙（一三〇一或一三〇八—一三八五）字叔明，号黄鹤山樵，又号香光居士，吴兴（今浙江湖州）人。关于王蒙的生平不可确考，传说中王蒙为赵孟頫外甥或外孙，他和倪云林是好友，常有诗文互赠，倪曾在《寄王叔明诗》中写道：『允儿英才最，居然外祖风』（倪云林《清閟阁集》）可知，王蒙为赵孟頫外孙。由于和赵孟頫的这层关系，使得他更为推崇和拥护赵孟頫的思想，并且身体力行，成为元代画坛杰出人物。

元末，王蒙做过清闲的『理问』小官，惠宗至元间，隐居在黄鹤山，所居之处，名曰『白莲精舍』，黄鹤山在今浙江余杭县东北，由天目山蜿蜒而来。王蒙隐居在这里时，过着芒鞋竹林杖，高卧青山望白云的生活，他在这里居住了近三十年，所以，在他四十岁以后的作品中，都是以『万壑在胸』作基础的。元亡后，他接受友人的劝告，抛开了隐居的生活，洪武初，出任泰安知州，曾『面泰山作画』，不久因胡惟庸案所累，于明太祖洪武十八年（一三八五）卒于狱中。

王蒙在黄鹤山隐居的日子曾自作诗云：『我于白云中，未尝忘青山。』据史料记载，他也并不是天天生活于山中，常常在山中会会友人、外出访友，也常外出云游，会见当时的同行，互相唱和。他的大部分创作也是出于此时。这时的作品，题材范围多隐居、草堂、渔隐等。王蒙这样深居山野，有利于观察和感受自然，不断地尝试新的技法，来表现他生活的理想和情感。

王蒙生于富贵之家，他的祖上皆是朝廷大官，这使得他常常留恋这种地位，然而当时的社会并不太平，使他必须周密地考虑个人的利益和地位，所以忽而出任小官，忽而弃官隐居。为了个人的得失，也为了个人的兴趣爱好，交往的人中既有文人画家，也有达官贵人。这种纠结的思想气质也反映在了他的画上。他的画，繁密多变，笔墨绵密，山川蓊郁，草木华滋，拖泥带水，面貌不一，具有特色的如《葛稚川移居图》及作于绢本上的《夏山高隐图》，而最能代表他的山水画成就和个人面貌的是《青卞隐居图》和《夏日山居图》。

《葛稚川移居图》是王蒙山水画中一种独特风格的作品，糅合了荆浩、关仝及南宋画风，但总体气息却是元人的。此图表现东晋葛洪（字稚川）携家移居罗浮山的故事。右上角王蒙自书：《葛稚川移居图》蒙昔年与日章画此图，已数年矣。今重观之，始题其上。王叔明识。』此图与王蒙平时所擅长的解索牛毛皴与云头皴有很大的不同，淡墨立骨，复以稍渴而浓的墨附加勾勒皴擦，皴法似从小斧劈皴中化出，皴笔鲜见线条，用干笔淡墨似柔似写而出，墨色清淡干松，层次繁多。与宋人勾而复皴，外轮廓线重实而粗犷的画法也大异其趣。

宋代与元代作品的一大变化就是材料的变化，绢本由于其材料的特殊性，挥洒起来不及纸本，所以宋元多用楷法用笔，而元画多用行草书的笔法入画。王蒙在绢本上的山水，与纸本上的又有区别，《夏山高隐图》是王蒙所作的绢本山水画，全景式布局，画面丛树密林，重峦叠嶂，山中蜿蜒一溪水，自深处流出，成为画面的气脉，山坳处梵宇错落，中有草屋，高士侍童，曲径通幽，引人入胜，构图虽拥塞满纸，但山之前后左右空旷之感、夹壑的幽深感很强烈，近处树法多取『曲势』，与黄公望、吴镇、倪云林三家画树大都取『直势』略有不同。全图经营位置颇费苦心，山石的皴笔较之王蒙其他纸本画作更润湿，有的笔松而虚，大多数笔紧而实，明代沈周应从此法中吸收不少。

现藏故宫博物院的《夏日山居图》是王蒙山水画的代表作，与其相似的还有《春山读书图》，钱杜曾总结王蒙画格『淡墨勾石骨，纯以焦墨皴擦，使石中绝无余地，再加以破点，望之郁然深秀』。此图全以墨画长松高龄，山坞人家，用笔细密有致。远处松树及杂树写干点叶或浓或淡，或干叶不分。在远处的树用乱笔点出，与苔点不分。山石轮廓与皴线不分，其皴仍从董源法中变出，短而细，乱而繁，人称牛毛皴。以皴法的疏密来反映虚实及山石的深暗，皴后以淡水墨附加，使其浑厚华滋，而早于此图两年所绘的作品《青卞隐居图》则是王蒙在艺术上最具深度的一幅作品了。

《青卞隐居图》是元代对后世影响最大的作品之一，也是文人画中著名的代表作，此图所绘是浙江吴兴县西北十八里许的卞山。苏东坡曾有诗云：『闻有弁山何处是，为君四面竟求看。』赵孟頫也写道：『何当便理南归棹，呼酒登楼看卞山。』皆是描绘卞山的诗句，明末董其昌观此图曾赞曰：『天下第一王叔明画。』又题诗道：『笔精墨妙王右军，澄怀观道宗少文，王侯笔力能扛鼎，五百年来无此君。倪云林赞山樵诗也，此图神气淋漓，纵横潇洒，实山樵平生第一得意山水，倪元镇退舍宜矣。』王蒙在此图中极其丰富地运用和发挥了他从郭熙、董源、巨然演化而来的解索皴法，成为后世的典范。此图一方面用了解索皴，另一方面用淡墨勾石骨，纯以焦墨皴擦，望之郁然深秀。解索之法使山脉聚散有势，使山体质松而苍茫，淡墨勾石骨之法使山崖厚润迷蒙，使山谷虚而空泽。王蒙画此幅山石时用笔渴润交融，虚笔实收，实笔虚行，如同水上漂柳，重而不腻，轻而不飞，虚实相叠，浓时不拥塞，淡时有厚味，顶峰处蓄一山，出于董、巨却有不同，王蒙在作此图时惨淡经营，并不像其他文人那样『逸笔草草』，但观其山石，丘壑跌宕中不失文意，且形构并不呆板，处处透露着松秀轻灵，生发随意，提染由心，最精彩处当为浓墨枯笔点，由点成面，由面成势，笔势劲斜，一气呵成。综而观之，此图以丰富多变的笔式表现出林岚郁茂、气势苍茫的意境，其画法和表现出的精神状态，是元以前不曾见到的，在王蒙的作品中也堪称杰作。

王蒙广泛地研究了元代以前各家各派的画法，他接受了赵孟頫的影响，特别对董、巨和郭熙的画法吸收较多，然而最终都脱离了他们形成了自己的风格面貌，较之黄、吴、倪，王蒙的技法最为全面、纯熟，面目也最为多样，王蒙作品中的技巧也是超过其他各家的。王蒙的画技和所显出的功底是高于倪瓒的，然而，中国艺术给人的巨大感染力不是技法之全面、成熟，面貌之多样，而是个性突出、形象鲜明、境界突出，以及能够反映所处的时代精神，从这一点来说，倪瓒是高于王蒙的，这也是『元四家』的艺术带给我们今天的思考吧。

壬辰立夏写于钱塘江畔

春山读书图

春山读书图（局部）

春山读书图（局部）

花溪渔隐图

花溪渔隐图（局部）

花溪渔隐图（局部）

松林写作图

丹山瀛海圖
香光居士王叔明畫

青卞隐居图

青卞隐居图（局部）

青卞隐居图（局部）

青卞隐居图（局部）

青卞隐居图（局部）

具区林屋图

具区林屋图（局部）

具区林屋图（局部）

具区林屋图（局部）

具区林屋图（局部）

具区林屋图（局部）

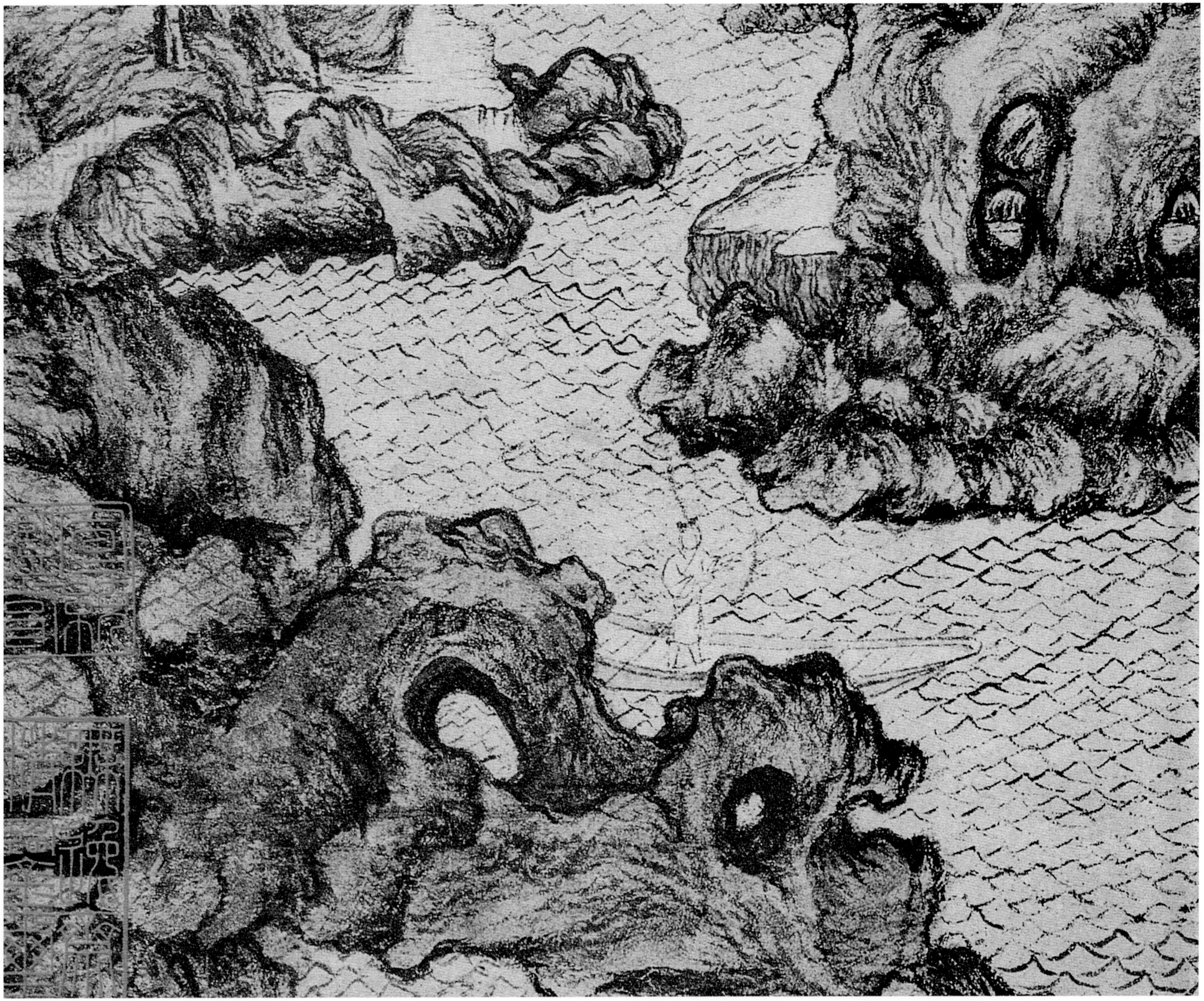

具区林屋图（局部）

溪山高逸图

溪山高逸图（局部）

黄鶴山人標格清胸中丘
壑何縱橫興來援筆一揮
洒蒼崖翠石煙雲生人家
住在山之麓隱映門墻蔽
林木橫經讀罷鼓瑤琴薰
風微動窗前竹
同葉先生家愛山無緣衣
得青山看時張此圖向高
齋彷彿揚子江天寬
三山林弼為
少司成貴先生題

夏日山居图

夏日山居图（局部）

夏日山居图（局部）

夏日山居图（局部）

葛稚川移居图

葛稚川移居图（局部）

葛稚川移居图（局部）

葛稚川移居图（局部）

葛稚川移居图（局部）

葛稚川移居图（局部）

葛稚川移居图（局部）

东山草堂图

东山草堂图（局部）

东山草堂图（局部）

东山草堂图（局部）

夏山高隐图

夏山高隐图（局部）

夏山高隐图（局部）

夏山高隐图（局部）

夏山高隐图（局部）

秋山草堂图

秋山草堂图（局部）

西郊草堂图

西郊草堂图（局部）

图书在版编目（CIP）数据

荣宝斋画谱．66，古代部分．山水．王蒙／王蒙绘．
－北京：荣宝斋出版社，2013.10（2017.5 重印）
ISBN 978－7－5003－1578－0

Ⅰ．①荣… Ⅱ．①王… Ⅲ．①山水画－作品集－
中国－元代 Ⅳ．① J212

中国版本图书馆 CIP 数据核字（2012）第 296270 号

责任编辑：孙虎城
审　　读：江金照
责任印制：孙　行
　　　　　毕景滨
　　　　　王丽清

RONGBAOZHAI HUAPU GUDAI BUFEN 66 WANG MENG SHANSHUIHUA
荣宝斋画谱　古代部分　66　王蒙山水画

绘　　　者：王蒙（元）
编辑出版发行：荣寶齋出版社
地　　　址：北京市西城区琉璃厂西街19号
邮 政 编 码：100052
制　　　版：北京燕泰美术制版印刷有限责任公司
印　　　刷：北京荣宝燕泰印务有限公司

开本：787 毫米 ×1092 毫米　1/8　　印张：7
版次：2013 年 10 月第 1 版　　印次：2017 年 5 月第 2 次印刷
印数：2001－5000　　定价：48.00 元

荣宝斋画谱·田黎明绘人物部分

责任编辑：李　娟

王　勇

ISBN 978-7-5003-2542-0

定价：58.00元